LA BELLE PROVINCE

Dessin : ACHDÉ
Scénario : LAURENT GERRA

d'après MORRIS

Couleur : ANNE-MARIE DUCASSE

En hommage à Morris.

Morris, un génie du neuvième art !

Le père de Lucky Luke est né en 1923 en Belgique, à Courtrai. Après des débuts dans les studios de dessins animés, il crée Lucky Luke, son univers et les principaux personnages de la série, dont les premières aventures paraîtront dans L'*Almanach de Spirou* en 1947. Il sillonnera ensuite, pendant plusieurs années, les États-Unis avec ses amis André Franquin et Joseph Gillain ainsi que les vedettes du magazine satirique *Mad*, Kurtzman, Davis et Wood, tandis que *Lucky Luke* se place très vite au rang des incontournables de la bande dessinée grâce au graphisme simple, expressif et combien efficace de son créateur. Son sens de la formule lui inspirera aussi les expressions "L'homme qui tire plus vite que son ombre" ou "neuvième art".

Dix albums plus tard, il rencontre René Goscinny, qui deviendra son scénariste. Plusieurs autres se succéderont. La saga du cow-boy solitaire imaginé par Morris rassemble aujourd'hui près de 90 albums. Il a très tôt entretenu une passion dévorante pour le cinéma et l'animation, et suivra de près les nombreuses adaptations de son œuvre.

C'est en pleine production des 52 derniers épisodes de dessins animés, *Les Nouvelles Aventures de Lucky Luke*, que Morris décède le 16 juillet 2001. Il demeure pour toujours l'un des monstres sacrés de la bande dessinée. Ses personnages et son univers sont, eux, devenus éternels.

* Caricature de Morris dessinée par l'artiste lui-même.

À CETTE MÊME ÉPOQUE, DES RIVES DE L'ALASKA AUX FRONTIÈRES DU MEXIQUE, TOUTE L'AMÉRIQUE DU NORD PARLE DE GRÉ OU DE FORCE UNE SEULE ET MÊME LANGUE : L'ANGLAIS !

MY TAYLOR IS RICH !

TOUTE ?

QUÉBEC
TRÉAL

NON ! DANS CETTE AMÉRIQUE DU NORD ANGLOPHONE, UNE POIGNÉE D'IRRÉDUCTIBLES S'OBSTINE À PARLER DU MATIN AU SOIR LA LANGUE DE MOLIÈRE : LES QUÉBÉCOIS ! (1)

QUÉBEC

MAUDITS ANGLAIS !

MAUDITS VISAGES PÂLES !

MAUDITS TRAPPEURS !

(1) N'OUBLIONS PAS NÉANMOINS ACADIENS ET LOUISIANAIS.

TOUT A COMMENCÉ EN 1534 ; FRANÇOIS Ier, ROI DES FRANÇAIS, CHARGEA JACQUES CARTIER DE PRENDRE POSSESSION DU CANADA...

JE VOUS PROMETS, MAJESTÉ, QUE DANS UNE COUPLE DE MOIS, ON PARLERA NOT' MAUDIT FRANÇOIS EN AMÉRIQUE DU NORD.

C'EST FOL !

L'EXPLORATEUR TRAVERSA DONC L'OCÉAN, REMONTA LE SAINT-LAURENT JUSQU'À HOCHELAGA, QUI DEVIENDRA MONTRÉAL !

HOLÀ, MON AMI, QUEL EST TON NOM ?

HUGH !

COMMENCÈRENT ALORS DES ÉCHANGES CULTURELS ENTRE HURONS ET FRANÇAIS...

TOI VOULOIR CASSEROLES POUR TA BLONDE ?

TOI VOULOIR FOURRURES POUR TA SQUAW ?

EN 1608, SAMUEL DE CHAMPLAIN FONDA QUÉBEC ET SE LIA D'AMITIÉ AVEC LES INDIENS ALGONQUINS, MONTAGNAIS ET ETCHEMINS...

HOLÀ, LES AMIS ! C'T'UN MAUDIT BEL ENDROIT !

HUGH ! BEAU MAIS FROID !

INFATIGABLES EXPLORATEURS, CES FRANÇAIS DU NOUVEAU MONDE, AIDÉS DE LEURS AMIS, PÉNÉTRÈRENT L'AMÉRIQUE...

EN REV'NANT D'LA ROCHELLE AVEC MES MAUDITS SABOTS...

TRAQUÉS PAR DES IROQUOIS PAYÉS PAR LES ANGLAIS ET LES HOLLANDAIS DÉSIREUX DE PRENDRE LA PLACE...

KAYA !

? ?

AINSI VIVAIT-ON JOYEUSEMENT DANS LA NOUVELLE-FRANCE JUSQU'EN 1759...

MAUDITS !

MAUDITS !

KAYA !

... CE FUNESTE 13 SEPTEMBRE, OÙ, PRÈS DE QUÉBEC, LA BATAILLE DES PLAINES D'ABRAHAM MARQUA LA FIN DE LA COLONISATION FRANÇAISE ET LE DÉBUT DE L'OCCUPATION ANGLAISE.

OUILLE !

MAUDITE JOURNÉE...

FA, F'EST FÜR !

MAIS, LAS DE MANGER DU BŒUF À LA MENTHE ET DU PUDDING, LES MAUDITS FRANÇAIS, LES "CANAYENS", SE RÉVOLTÈRENT À MAINTES REPRISES...

SACREZ VOT'CAMP, MAUDITS ANGLAIS!

CLOPS!

OH MY GOD! THIS IS NOT A RIOT, THIS IS A REVOLUTION!

KEEP QUIET, JAMES, ET VENEZ FINIR VOTRE CASTOR À LA GROSEILLE.

EN 1840, L'ACTE D'UNION FAIT PERDRE TOUTE EXISTENCE LÉGALE À LA LANGUE FRANÇAISE!

SACHEZ, MESSIEURS, QUE NOUS NE L'ACCEPTERONS JAMAIS!

MAIS QUE RACONTE CE LAFONTAINE, JOHN?

AUCUNE IDÉE, POUR MOI, LE FRANÇAIS, C'EST DE L'HÉBREU.

APRÈS BIEN DES REBONDISSEMENTS, LA CONSTITUTION DE 1867 RECONNAISSAIT ENFIN LA LANGUE FRANÇAISE ET LA NOTION DE CANADA FRANÇAIS...

N'EMPÊCHE QUE LES MAUDITS FRANÇAIS DE FRANCE NOUS ONT ABANDONNÉS AUX ANGLAIS!

JE ME SOUVIENS...

TU L'AS DIT, HUGUES!

DEPUIS LORS, LES CANADIENS FRANÇAIS CULTIVENT LEUR ORIGINALITÉ, AUSSI BIEN LINGUISTIQUE QUE CULTURELLE...

ENGLISH GO HOME

EN FRANÇAIS, SACREBLEU!

... EN TOUTE OCCASION...

DU SIROP D'ÉRABLE ET DES PLUMES, ON AURA TOUT VU!

... ET EN TOUT LIEU!

AUBERGISTE, UN BALLON DE ROUGE!

MONTRE TES PIASTRES D'ABORD, LE BRETON.

HOP!

ZOU!

COMMENT CE PAYS SI ÉLOIGNÉ DU FAR WEST SAUVAGE VA-T-IL ENTRER DANS LA VIE DE NOTRE HÉROS?

GRAND RODÉO DES FRONTIÈRES

WISCONSIN EAU CLAIRE

NOUS AVONS AUSSI DU WHISKY, DU GOUDRON ET DES PLUMES!

MOI, BRAD CARPETT, J'AI CONNU DES VACHETTES PLUS CORIACES QUE TOI, LUKE !

‡?%#.!!

ADIEU, COW-BOY, DANS UNE HEURE, J'AURAI PASSÉ LA FRONTIÈRE !

EEH OUI, C'EST LA DURE LOI DU RODÉO ! NÉANMOINS, ON APPLAUDIT BIEN FORT CE DEUXIÈME CONCURRENT...

... LUCKY LUKE : L'HOMME QUI TOMBE PLUS VITE QUE SON OMBRE ! ARF !

FLBL-GZXY !

T'AS DU STYLE, TOI ! D'OÙ VIENS-TU, JOLLY ?!

MOUAIS, ÇA VA, J'AI COMPRIS...

JE SUIS DE NULLE PART ET DE PARTOUT À LA FOIS, FILS DU VENT ET DES MUSTANGS, HÉ !

T'ES HOT EN MAUDIT, TOI(1). SI TU VEUX ÊTRE MON CHUM, J'VEUX BIEN DEVENIR TA BLONDE !

OK, MON VIEUX, TU RACCOMPAGNES TA BELLE À LA GARE POUR LUI FAIRE TES ADIEUX, DE TOUTE FAÇON, BRAD CARPETT EST DÉJÀ LOIN.

EN SELLE, OLD BOY !

HÉLAS, TU VOIS, TU DOIS REPARTIR DANS TON GRAND NORD ET JE DOIS PROTÉGER LA VEUVE ET L'ORPHELIN, TEL EST NOTRE DESTIN !

AH ?!

(1) EN QUÉBÉCOIS DANS LE TEXTE.

SNIF ! ÇA NE VAUT PAS LA PEINE DE LAISSER CEUX QU'ON AIME POUR ALLER FAIRE TOMBER UN COW-BOY SUR SON NEZ...

HÉLAS...

ET C'EST SUR CES TRISTES PAROLES QUE LA BELLE PROVINCE PRIT LE CHEMIN DU RETOUR....

STATION

8

DÈS CET INSTANT, LE CŒUR BRISÉ, JOLLY JUMPER SOMBRA DANS LA MÉLANCOLIE...

ALLEZ, DU NERF, MON GRAND : NOUS SOMMES SUR LA BONNE PISTE.

... LE DÉSESPOIR...

ÉCHEC ET MAT EN DEUX COUPS, JOLLY !

LUI, SI DOUÉ POUR LES TÂCHES MÉNAGÈRES, RATAIT LE CAFÉ...

POUAH ! C'EST PIRE QUE DU JUS DE CHAUSSETTE !

BEURK !

... LES HARICOTS AU LARD...

ENCORE BRÛLÉS !

PSHIII !

... ET DÉDAIGNAIT JUSQU'À SA PROPRE ALIMENTATION...

BEUH !

... CE FIDÈLE COMPAGNON N'ÉTAIT PLUS À SON OUVRAGE...

JOLLY, JE VAIS AU SALOON. ON FAIT COMME D'HABITUDE.

MMMM...

CLING!

CRAC!

PAN!

QU'EST-CE QU'ON VOUS DISAIT ?!

BLAF!

QUANT AUX MISSIONS LES PLUS PÉRILLEUSES...

Urgent - stop - frères Dalton libérés par erreur - stop - Désolé - stop - bonne chasse - stop -

... ELLES TOURNAIENT AU RIDICULE !

C'EST PAS NORMAL, JOE : ON VIENT DE SEMER LUCKY LUKE. ON DEVRAIT PEUT-ÊTRE S'ARRÊTER POUR L'ATTENDRE ?!

AVERELL, TAIS-TOI !

Achdé + Gerra

9

CONTRECOEUR
632 ÂMES (CE MATIN)
ÉTRANGER,
SI TU CHERCHES DES
CROSSES, TU TROUVERAS
DU PLOMB ①

D'APRÈS LES ORGANISATEURS DU RODÉO, MARIO BOMBARDIER HABITE DANS LES ENVIRONS.

Achdé + Gerra

ICI ON ME RENSEIGNERA CERTAINEMENT.

ET MAINTENANT, CELLE QUE LE MONDE ENTIER NOUS ENVIE, LE ROSSIGNOL DES LAURENTIDES : MISS CÉÉÉLINE !

ACCROCHEZ-VOUS, ÉTRANGER !

?

♪ R'NÉ J'T'AIME ♫ R'NÉ J'T'ADORE ♪ DES CANTONS D'L'EST AUX TERRITOIRES DU NOOORD ①

① VIEILLE CHANSON BLACKFEET (PIED NOIR).

CRAAAAAC

Plic !

☠✪⚡! MON BOUCHONNAGE VA ÊTRE FICHU !

ÇA Y EST, LES GARS, ELLE A RÉUSSI À FAIRE PLEUVOIR !

✪☠#!

C'EST DE LA SORCELLERIE !

ÇA, CE SONT SES ORIGINES INDIENNES !

ASSEZ ! MAIS FAITES DONC TAIRE C'TE MAUDITE CHANTEUSE : ON DIRAIT UN ORIGNAL ENRHUMÉ !

TRÈS ENRHUMÉ MÊME !

DITES, ON SE "CHICANE" SOUVENT, CHEZ VOUS ?

OH NON, SEULEMENT QUAND IL Y A C'TE MAUDITE BONNE CHANTEUSE, MAIS CE N'EST PAS BIEN MÉCHANT...

... SEULEMENT SALISSANT !

PAN! PAN!

ÇA SUFFIT ! ÉCOUTEZ-MOI TOUS !

JE N'AI RIEN CONTRE VOS COUTUMES LOCALES, MAIS JE N'AI PAS FAIT 28 JOURS DE CHEVAL POUR SEULEMENT ME FAIRE ENTARTER : J'AI BESOIN DE RENCONTRER UN CERTAIN MARIO BOMBARDIER !

SI ON PEUT PLUS RIGOLER !

LA FERME, LEGLOU-PIER !

CLOPS!!

JE NE SAIS PAS CE QUE TU LUI VEUX, ÉTRANGER, MAIS, COMME ON DIT CHEZ NOUS, "QUAND UN HOMME AVEC UN COLT POSE UNE QUESTION, LES HOMMES ARMÉS DE POUTINES LUI RÉPONDENT".

ALORS ?!

BEN, TU TROUVERAS SA FERME JUSTE À LA SORTIE DU VILLAGE, À UNE LIEUE DE LA RIVIÈRE. TU NE PEUX PAS LA RATER, ELLE EST DANS UN PETIT BOIS D'ÉRABLES.

PLOTCH!

CLOPS!

PIF!

YOUPII !!!

#§€&!!

JE SUIS TREMPÉ JUSQU'AUX OS, J'EMPESTE LE FROMAGE À LA POMME DE TERRE, ET JOLLY JUMPER A FILÉ JE NE SAIS OÙ. AH ÇA ! JE M'EN SOUVIENDRAI, DE LA NOUVELLE-FRANCE !

IL NE ME RESTE PLUS QU'À TROUVER DE NOUVEAUX VÊTEMENTS ET UN HÔTEL AVEC BAIN, EN ESPÉRANT QU'ILS FOURNISSENT LE SAVON DANS CE PAYS DE BARJOS !

JE RETIRE CE QUE J'AI DIT SUR CE PAYS. QUEL LUXE ! LES HÔTELS SONT MODERNES : ILS CHANGENT L'EAU DU BAIN ENTRE CHAQUE CLIENT, ICI.

'TREZ.

TOC! TOCK TOC!

JEAN-PIERRE GAUTHIER, TAILLEUR CHEZ "RIVE DU SAINT-LAURENT". VOUS M'AVEZ FAIT DEMANDER POUR UN NOUVEAU COSTUME, JE CROIS...

J'AI DU TWEED DU BENGALE ET DE LA SOIE DE CHINE ...

COMME DISAIT PETE L'INDÉCIS, J'AI DES GOÛTS SIMPLES MAIS PRÉCIS, L'AMI : UNE CHEMISE JAUNE, UN FOULARD ROUGE, UN GILET NOIR, UN PANTALON BLEU ET TROUVEZ-MOI UN STETSON NEUF...

VOUS NE SEREZ PAS DÉÇU, QUELQUES MESURES ET COUPS DE CISEAUX SUFFIRONT ET VOUS SEREZ TRÈS "CHIC PARISIEN"(1)

ET QUELQUES MESURES ET COUPS DE CISEAUX PLUS TARD...

MAIS, CE N'EST PAS DU TOUT CE QUE J'AI DEMANDÉ !

POURTANT, TOUT Y EST, MONSIEUR ; CHEMISE ET VESTE JAUNE ASSORTIES, GILET NOIR, FOULARD ROUGE ET PANTALON BLEU, JE... JE NE COMPRENDS PAS ?!

PEUT-ÊTRE QUE SANS LE BRIN D'HERBE...

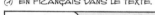

(1) EN FRANÇAIS DANS LE TEXTE.

NON MAIS, REGARDEZ-MOI CE DÉGUISEMENT, J'AI L'AIR D'UN PIED TENDRE, PAS D'UN COW-BOY !

TROUVEZ-MOI AUTRE CHOSE, TRÈS VITE !

QUE MONSIEUR DAIGNE M'EXCUSER, MAIS VOUS VENEZ DE FINIR MES DERNIÈRES PIÈCES D'ÉTOFFES ET MON MAGASIN EST VIDE ; JE N'AI PLUS AUCUN STOCK ACTUELLEMENT...

DAMNÉ TAILLEUR FRANÇAIS ! RESTE LE BLAN- CHISSEUR CHINOIS !

HIII !

TU ÉTAIS LÀ, TOI ?! JE VOIS QUE LE DOUX CLIMAT DE CE PAYS NE T'A PAS ÉPARGNÉ NON PLUS...

TIENS, C'EST CAR- NAVAL ?!

VA DONC CHEZ LE MARÉCHAL-FERRANT TE REFAIRE UNE BEAUTÉ, JE T'Y RETROUVE- RAI PLUS TARD...

chez POU-TINH
Buanderie ~ Amidonnage ~

QUE L'HONOLABLE GENTLEMAN AMÉLICAIN SE LAS-SULE : SON LINGE SELA PLOPLE, COMME AU PLEMIER JOUL, MAIS JE NE POULLAI NI LEPASSER NI AMIDONNER SES HABITS ...

14

MA FIELTÉ DE BLANCHISSEUL EST ENTACHÉE DE HONTE : J'AI FINI MON DELNIER BIRON D'AMIRON ET JE CÈDE MON VÉNÉLABLE COMMELCE À MON HONOLABLE BANQUIER.

ALLONS BON...

HÉLAS, JE SUIS VÉNAL.

LAVAGE BLANC 50 ¢
LAVAGE CANTONAIS 1 $

ET TROIS LAVAGES SUCCESSIFS PLUS TARD...

BEAU TRAVAIL, TINH !

VOUS FÛTES MON DELNIER HONOLABLE CLIENT, MISTEL LUKE.

ASSEZ TRAÎNÉ ICI, JE RÉCUPÈRE JOLLY ET DIRECTION LE RANCH BOMBARDIER.

FERMÉ POUR CAUSE DE RUPTURE DE STOCK

TREMBLAY
MARÉCHAL FERLANT

DIEU MERCI, VOUS VOILÀ, COW-BOY ! VOTRE CHEVAL REFUSE MES NOUVEAUX TAPIS DE SELLE ET MES FERS SONT TROP PETITS POUR LUI !

J'AI LES SABOTS SENSIBLES, MOI !

QUE VOULEZ-VOUS, JE N'AI PLUS DE CHOIX EN FERS NI EN TAPIS DE SELLE ; Z'ÊTES POINT CHANCEUX, VU QUE L'APPROVISIONNEMENT VA DE FLIC À FLAC (1) DEPUIS DEUX MOIS, J'VENDS DONC MA FORGE.

(1) CAHIN-CAHA.

... ET JE SUPPOSE QUE C'EST VOTRE BANQUIER QUI REPREND VOTRE AFFAIRE.

EXACTEMENT, ET MONSIEUR MAC HABANN PAIE RUBIS SUR L'ONGLE !

HIYAAR ! POLICE !!

?

ALERTEZ DONC C'TE MAUDITE POLICE MONTÉE : NOUS VENONS ENCORE D'ÊTRE ATTAQUÉS !

MILLE CASTORS À POILS !

COMME VOUS DITES...

15

... ARRÊTÉS À VARENNES ! Z'ONT PRIS LES CAISSES DE BANQUE AINSI QUE L'OR DES MINEURS DE RIVIÈRE PLATE !

CINQ BANDITS MASQUÉS !

MÊME TES CARTONS DE TISSUS DE PARIS Y SONT PASSÉS, GAUTHIER !

ENCORE ?

BOUH!

MALHEUR ! LE TAILLEUR DE CHEZ "RIVE DU SAINT-LAURENT" S'EST ÉVANOUI !

NON ?!

ON LE COMPREND, SON COMMERCE EST FICHU !!

TOUS CES VOLS, C'T'UNE MAUDITE CATASTROPHE.

ON N'EST PAS CHANCEUX.

ET LA BANQUE QUI NE FAIT PLUS CRÉDIT !

HEIN ?!

KEEP QUIET, NOUS ALLONS TÉLÉGRAPHIER À MONTRÉAL POUR AVOIR DU RENFORT ; UNDERSTAND ? OK ? SO, RENTREZ DANS VOS HOME (1) !

(1) EN FRANGLAIS DANS LE TEXTE.

VOUS ALLEZ SANS DOUTE VOUS LANCER À LEUR RECHERCHE, D'AILLEURS, SI JE PEUX...

PLAÎT-IL, ÉTRANGER ?

VOUS VOULEZ SANS DOUTE PARLER DE MONTER UNE MILICE ?! SACHEZ QUE LA LOI DE SA MAJESTÉ S'APPLIQUE AU CANADA DANS LE CALME ET LA RIGUEUR : NOUS NE SOMMES PAS AU FAR WEST, ICI !

MAIS...

CIRCULEZ !!

ALLONS-NOUS-EN, JOLLY ; NOUS N'AVONS PLUS RIEN À FAIRE DANS CETTE VILLE.

HA ÇA, QU'ILS SE DÉBROUILLENT !

HEP ! BOUVIER !

LÉON LEMIEU, MAIRE DU BOURG. MERCI D'AVOIR PROPOSÉ VOTRE AIDE, MAIS, NOUS AUTRES, ON EST CAPABLES DE MAÎTRISER L'AFFAIRE, BIEN QUE CE NE SOIT PAS LA PREMIÈRE ATTAQUE.

LES ROUTES SONT SI PEU SÛRES ?

BOAH, M'EST AVIS QUE VOUS RISQUEZ PAS GRAND-CHOSE ; SEULS LES CHARIOTS DE MARCHANDISES ET LES CONVOYEURS DE FONDS SONT PRIS POUR CIBLES PAR CES DAMNÉS PILLARDS DE GRANDS CHEMINS...

EN EFFET, APRÈS UN TRAJET RAPIDE ET SANS HISTOIRE, AU DÉTOUR D'UN ÉRABLE...

LE COIN EST ACCUEILLANT ; SOUHAITONS QUE TA BELLE LE SOIT TOUT AUTANT AVEC TOI...

J'AI LE TRAC, LUKE !

L'ÉRABLIÈRE
FERME-AUBERGE
Marie & Mario
Bombardier

PAN !

16

C'EST AINSI QUE LE MEILLEUR ÉLEVEUR DE CHEVAUX AU SUD DU SAINT-LAURENT ACCUEILLE SES VISITEURS ?!

PAS FACILE, LE FUTUR BEAU-PAPA !

QUI QUE TU SOIS, ÉTRANGER, J'VEUX PAS DE VISITE, C'EST TOUT !

DU CALME, BOMBARDIER, ON SE CONNAÎT DÉJÀ. J'ÉTAIS AU RODÉO D'EAU CLAIRE QUE VOUS AVEZ BRILLAMMENT REMPORTÉ...

PAR SAINT HIPPOLYTE, SI J'ME SOUVIENS À C'T'HEURE ! VOUS ÊTES LUCKY LUKE, L'HOMME QUI TOMBE... EUH... QUI TIRE PLUS VITE QUE SON OMBRE !

EXCUSEZ...

HÉ ! T'ES UNE LÉGENDE !

ENTREZ DONC, L'AMI.

MARIE, FAIS DONC CHAUFFER LA TARTE AU SUCRE ET SORS LES LIQUEURS : ON REÇOIT UNE VEDETTE !

157

TIENS, TIRE-TOI UNE BÛCHE(1) ET RACONTE-NOUS CE QUI T'AMÈNE SI LOIN DE TON TEXAS...

PRENEZ VOS AISES, MONSIEUR.

(1) UN SIÈGE, EN QUÉBÉCOIS DANS LE TEXTE.

HMMM ! QUEL DÉLICIEUX PARFUM DE TARTE AU SUCRE : "UNE PETITE PART S'IMPOSE AVANT TOUTE AFFAIRE COMMERCIALE", COMME DISAIT MON GRAND-PÈRE MORT PAUVRE MAIS OBÈSE.

MIAM ! "CE QUI EST RATIONNEL EST RÉEL, CE QUI EST RÉEL EST RATIONNEL(1)"! ÇA C'EST D'LA...

AH NON! PAS LUI!

(1) HEGEL.

...TARTE !

PLOTCH!

EUH... POUR L'AMIDONNAGE DE VOTRE LINGE, JE REPASSERAI...

TOI, C'EST À LA VIE, À LA MORT !

158

JE SERAIS CURIEUX DE RENCONTRER MAC HABANN. IL HABITE OÙ CE BANQUIER ?

LUCKY LUKE, NE VOUS SENTEZ PAS OBLIGÉ. VOUS VOULIEZ ME VOIR POUR UNE TOUT AUTRE AFFAIRE, NON ?!

DISONS PLUTÔT QUE C'EST UNE AFFAIRE PRIVÉE ENTRE MON ÉTALON ET VOTRE CHAMPIONNE...

ÇA VA, J'AI COMPRIS : MA PROVINCE EN A FAIT CHAVIRER DES MUSTANGS ET VOTRE JOLLY JUMPER N'Y A PAS ÉCHAPPÉ ! HA ! HA !

NE BRISONS PAS LEURS RETROUVAILLES. PRENEZ LE FRÈRE DE PROVINCE : CANTON. VOUS VERREZ, C'EST UN BON CHEVAL.

I'M A VERY VERY LONESOME COW-BOY ...

MÉFIEZ-VOUS, CE MAC HABANN EST UN SOURNOIS. RAPPELEZ-VOUS : DIX LIEUES JUSQU'À LA CLAIRIÈRE DU PRÊCHEUR OÙ VOUS TROUVEREZ LE...

... PÈRE DÉOGRATIAS, OUI, MOI JE VOUS LE DIS, CAR JE SUIS LE BERGER QUI CONDUIRA LES BISONS VERS LA CRÈCHE...

SUIVEZ MA PISTE CAR JE SUIS LE COUREUR DES BOIS, JE TAILLERAI VOS ÂMES TEL LE BÛCHERON...

ABANDONNEZ VOS AMULETTES ET VOS SORCIERS : IL N'EXISTE QU'UN SEUL ET UNIQUE MANITOU, NOTRE PÈRE À TOUS, LE SEIGNEUR TOUT-PUISSANT...

QUE DIT L'HOMME BLANC AUX HABITS DE CORBEAU ?

SA DOCTRINE RELIGIEUSE SEMBLE FONDÉE SUR UN MONOTHÉISME PATERNALISTE.

FASCINANT !

DÉSOLÉ D'INTERROMPRE VOTRE PETITE FÊTE, MON PÈRE, MAIS ON M'A DIT QUE VOUS M'INDIQUERIEZ LE SENTIER MENANT À "MAPLE LEAF MANOR".

"MON PÈRE" ? COMME C'EST ÉMOUVANT : IL A RETROUVÉ SON PAPA !

EN EFFET, MON FILS : LES CHEMINS DU SEIGNEUR COMME CEUX DE LA FORÊT NE ME SONT PAS INCONNUS : PRENEZ LE CHEMIN À DROITE APRÈS LA CABANE À SUCRE ; VOUS VERREZ, C'EST AU SORTIR D'UN PETIT BOIS D'ÉRABLES.

MERCI, MON PÈRE, ET ADIEU.

ADIEU ?! FILS INDIGNE ! IL VIENT JUSTE DE RETROUVER SON PÈRE ET DE NOUVEAU, IL L'ABANDONNE !

AU PIED, RANTANPLAN !

QUEL PÉNITENCIER SORDIDE !

RESTE LÀ, RANTANPLAN.

INUTILE D'INSISTER, JE NE RENTRERAI PAS DANS CE TAUDIS.

BOM! BOM! BOM!

CE " MONSIEUR " DÉSIRE ?

J'AI UNE AFFAIRE À PROPOSER À MONSIEUR MAC HABANN QU'IL NE POURRA PAS REFUSER...

HÉHO ! JE NE SUIS PAS À VENDRE, MOI !

DÉSOLÉ, MAIS MONSIEUR MAC HABANN TRAITE SES AFFAIRES À CARACTÈRE PRIVÉ UNIQUEMENT LE PREMIER MARDI DE CHAQUE MOIS. REPASSEZ DONC LE MOIS PROCHAIN.

Achdé Gerra

NESTOR, LAISSEZ ENTRER ; JE FERAI UNE EXCEPTION POUR CE GENTLEMAN...

?

... ON NE RENVOIE PAS LE CÉLÈBRE LUCKY LUKE COMME UN VULGAIRE COLPORTEUR...

MAIS, MONSIEUR, C'EST...

ÇA SUFFIT, NESTOR ! BON SANG ! VOUS NE RECONNAISSEZ DONC PAS LE PLUS GRAND DES HÉROS DU NOUVEAU MONDE ? UNE PAREILLE VISITE EST UN VÉRITABLE HONNEUR POUR MON HUMBLE LOGIS.

SI MONSIEUR LUKE VEUT BIEN SE DONNER LA PEINE...

OK.

19 A

ALORS, CETTE AFFAIRE QUE JE NE POURRAI REFUSER ?!

JE N'IRAI PAS PAR QUATRE CHEMINS, MISTER MAC HABANN. JE N'AI TROUVÉ QUE CE PRÉTEXTE POUR PASSER VOTRE CERBÈRE ET ENFIN RENCONTRER L'HOMME LE PLUS RICHE À L'EST DU SAINT-LAURENT.

HA ! HA ! VOUS ME PLAISEZ, MONSIEUR LUKE : VOUS AU MOINS, VOUS ÊTES FRANC !

CURIEUX, SURTOUT !

EH BIEN, CHER AMI, JE VAIS SATISFAIRE VOTRE CURIOSITÉ, MAIS D'ABORD J'AI QUELQUE CHOSE À VOUS MONTRER...

VOUS ALLEZ DÉCOUVRIR CE QUE PEU DE GENS ONT VU, PUIS À MON TOUR JE VOUS FERAI UNE PROPOSITION...

CLIC !

?

19 B

21

LA PLUS GRANDE ET LA PLUS BELLE COLLECTION D'OBJETS LIÉS À LA CONQUÊTE DE L'OUEST !

LE PREMIER SUCRE D'ORGE À PEINE CROQUÉ DE BILLY THE KID...

... UN CIGARE DE JOSS JAMON...

... LA DERNIÈRE BOUTEILLE D'ÉLIXIR DU DOCTEUR DOXEY...

... LA PLUME DU CHAPEAU DE JESSE JAMES...

ET BEAUCOUP PLUS RARE : UN BOL AVEC UN RESTE DE DÎNER D'AVERELL DALTON...

RARISSIME EN EFFET !

OUI, MAIS LE CLOU DE MA COLLECTION SERAIT VOTRE FAMEUX 7 COUPS, MONSIEUR LUKE : JE VOUS EN OFFRE 50 000 DOLLARS...

DÉSOLÉ, IL N'EST PAS À VENDRE. ET QUELQUE CHOSE ME DIT QUE JE RISQUE D'EN AVOIR BESOIN BIENTÔT.

AUCUNE IMPORTANCE, J'OBTIENS TOUJOURS CE QUE JE DÉSIRE.

COMME ACHETER TOUT UN VILLAGE PAR EXEMPLE, EN PROFITANT DE L'IN- SÉCURITÉ DANS LA RÉGION ET DES DIFFICULTÉS DES PETITS COMMERCES.

J'AI DE GRANDS PROJETS POUR CONTRECŒUR. GRÂCE À MOI, ELLE DEVIEN- DRA AUSSI PROSPÈRE QUE CHICAGO.

Achdé + Gerra

JE DÉVELOPPERAI SON COMMERCE ET RENDRAI LES HABITANTS HEUREUX, AVEC DES DOLLARS, ON FAIT LE BONHEUR DU PEUPLE !

À PART CELUI DE BOMBARDIER QUI REFUSERA DE VOUS CÉDER SA FERME.

TOUT ! J'AURAI TOUT, LUKE ! TOUT LE PAYS SERA À MOI, TOUT MÊME BOMBARDIER.!!

CALMEZ-VOUS, BOSS !

... SA FERME, SA JUMENT, SES VACHES, SA GRANGE, SON FOIN...

FOU, MÉGALOMANE ET DANGEREUX : ÇA PROMET !

JE VOUS AVAIS POURTANT PRÉVENU : CE LUCKY LUKE EST UN TYPE DANGEREUX.

ENSUITE, J'ACHÈTERAI TROIS-RIVIÈRES, PUIS QUÉBEC ET MONTR....

C'EST ÇA, C'EST ÇA ! BON, POUR VOUS DÉTENDRE, ALLONS NOUS PAYER LES DERNIERS COMMERÇANTS DE CONTRECŒUR.

OH OUI ! ALLONS ENFIROUAPER CES IMBÉCILES !

REGARDEZ DONC, NESTOR, IL FAIT UN TEMPS IDÉAL POUR MAGASINER...

C'EST ÇA ! C'EST ÇA !

... ET QUELQUES "C'EST ÇA" PLUS TARD...

NOUS Y SOMMES, BOSS "HOO" !

"I WENT TO ZE MARKET, MON PETIT PANIER SOUS MON BRAS".

Chez **Leclerc**
"Au P'tit Bonheur"

ON CHERCHE 500$

BON, VOUS VOULEZ DÉPENSER COMBIEN AUJOURD'HUI ?

BAH ! UNE BROUTILLE : 5 000 DOLLARS.

?

D. McHABANN nouveau propriétaire

VENDU

"C'EST UN PETIT BONHEUR QUE J'AVAIS RACHETÉ".

COMME CONVENU, ON RASE TOUT ET ON CONSTRUIT UN CENTRE D'ACHAT ?!

EXACTEMENT, MON CHER NESTOR, MAIS ON GARDE LE NOM : "CENTRE LECLERC", ÇA SONNE BIEN !!!

DONC, "CHEZ SÉVILLE" LE BARBIER, C'EST FAIT, LECLERC, C'EST DANS LA POCHE ET TINH LE CHINOIS VIENT DE FERMER. RESTE LE CROQUE-MORT ET LE SALOON, ET LA VILLE EST À NOUS !

"CAFÉ SALON", NESTOR, NOUS SOMMES AU QUÉBEC ! HA ! HA !

AU CARIBOU
Café qu'on sert

MÊME LE SALOON ?!

N'OUBLIEZ PAS LE COTON DANS LES OREILLES, PATRON.

TOUT PEUT S'ACHETER MÊME SI LE SILENCE EST D'OR !

S'IL SUFFISAIT QU'ON S'AIMEEEEEUH

TU SAIS, GILLES, ELLE VA FINIR PAR FAIRE NEIGER.

BAH, TU SAIS BIEN, LINDBERG, QU'NOT PAYS C'EST PAS UN PAYS, C'EST L'HIVER !

..."S'IL SUFFISAIT DE SEMEER ...DE SEMEEER

GNiii !

GNiii !

GNiii !

GNiii !

CLING!

DIS DONC, LE LIMONAIRE, MON BOSS VOUDRAIT T'ACHETER TA CHANTEUSE...

?

L'ACHETER POUR LA PRODUIRE ?!

NON ! NON ! JUSTE POUR LA FAIRE TAIRE !

QUOI?! ELLE CHANTE PAS BIEN MA BLONDE ?! T'VAS VOIR, TOUÉ !

?!

HÉÉÉ !

PAS TOUCHE AU BOSS !

CLOP!

ÇA Y EST! ÇA SE CHICANE ! LA POUTINE VA VOLER BAS !!

UNE LIMONADE !

AVEC OU SANS POUTINE ?!

OUAH ! C'EST LA FÊTE ICI !

25

D'ACCORD, LUKE. MOI JE CONTINUE À SUIVRE VOTRE CHIEN.

OK.

BONNE CHANCE, BOMBARDIER.

SOYEZ PRUDENT, LUKE.

PAR SAINT MARINGOUIN (1) ! UN DOUTE ME PIQUE : CE MAUDIT CANIDÉ ME MÈNE TOUT DROIT À LA GRANGE DU PÈRE TURCOTTE !

CETTE FOIS, C'EST LA BONNE ! MON INSTINCT NE ME TROMPE JAMAIS.

?

MEUH ?

(1) MOUSTIQUE EN QUÉBÉCOIS.

EN BON SERVITEUR DE LA LOI, RANTANPLAN N'ÉCOUTANT QUE SON DEVOIR SUIVAIT INLASSABLEMENT SA PISTE...

SNIF ! SNIF !

... DÉBUSQUANT UN TROUPEAU DE CARIBOUS MÂLES...

KAÏE ! KAÏE !

... UNE MOUFETTE DE TRÈS MAUVAISE HUMEUR...

... UN OURS BRUN TRÈS JOUEUR...

... QUAND, ENFIN !

CHTIIIIING!

29

C'EN EST TROP ! ALLEZ, CANTON, ON RENTRE À LA FERME !

MAUDIT CANIDÉ !

LÀ-BAS, UN FEU SUR LES TERRES DE MAPLE LEAF MANOR. RALENTIS, JOLLY, NE NOUS FAISONS PAS REMARQUER.

TROTTONS-Y À SABOTS DE SOURIS !

?!

MAC HABANN ?! MAIS QUE FAIT-IL ?

INDIENS, INDIENNES, MES CHERS AMIS, C'EST LE CŒUR PUR QUE JE VIENS VERS VOUS. ACHETEZ MON EAU DE FEU À UN PRIX DÉFIANT TOUTE CONCURRENCE. VOUS PRENEZ, VOUS BUVEZ ET VOUS ME PAYEZ CES CAISSES DE BOURBON AVEC QUELQUES PETITS TERRAINS DONT VOUS N'AVEZ PAS L'UTILITÉ...

C'EST L'OPÉRATION PROMOTIONNELLE DU SIÈCLE : UN HECTARE POUR MON NECTAR ! PRENEZ UNE PLUME SUR VOTRE TÊTE ET SIGNEZ DONC CE PETIT TRAITÉ AVEC LA GÉNÉRALE DES EAUX DE FEU.

NOUS VOULOIR PRENDRE UNE LUNE POUR RÉFLÉCHIR ET LIRE TOUTES LES PETITES LIGNES...

PAS DE PROBLÈME...

MAIS DÉCIDE-TOI VITE, CHEF ! CAR MON EAU DE FEU S'ARRACHE DANS TOUT LE PAYS.

HUGH !

LA GÉNÉRALE DES EAUX DE FEU ? QU'EST-CE QUE ÇA CACHE ENCORE ?

HAOW, AMI INDIEN, JE VIENS À VOUS EN PAIX. MON CHEMIN A CROISÉ VOTRE FEU ET MES OREILLES ONT ENTENDU VOS PAROLES (1) ...

?

(1) EN LANGUE WYANDOT DANS LE TEXTE.

MAIS QUEL ÉTRANGE COMMERCE PRATIQUEZ-VOUS AVEC L'HOMME BLANC AUX DENTS LONGUES ?

DEPUIS TROIS LUNES, " DENTS DE CASTOR " VEUT NOUS VENDRE EAU DE FEU, SOURCE DE SON POUVOIR ET DE SA RICHESSE.

MAIS NOUS HÉSITER.

CHEZ LES HOMMES BLANCS, LUI TRAITER SON COMMERCE TEL LE RATON LAVEUR SOURNOIS...

HUGH, ÇA VRAI. NOUS AVOIR APPRIS QUE CE CHACAL VENDAIT À TRIBUS ENNEMIES MOHAWK.

29 A

EN EFFET...

COMME VOUS LE SAVEZ, LE COURS DES PEAUX EST INCERTAIN. N'AGISSEZ PAS COMME CES MAUDITS HURONS, ACHETEZ AUJOURD'HUI DES CAISSES D'EAU DE FEU...

... ET DEMAIN, VOUS PASSEREZ L'HIVER RICHES DANS VOS TIPIS !

NOUS TRÈS MÉFIANTS. TOI QUI CONNAIS SIGNAUX DE FUMÉE SUR FEUILLE BLANCHE, REGARDE CE TRAITÉ QUE NOUS DEVONS SIGNER AVEC GÉNÉRALE DES EAUX DE FEU.

DONNE.

C'EST SÛR QU'IL EST DOUÉ EN AFFAIRES, L'ESCROC !

QUE MON FRÈRE DÉCHIRE CE TRAITÉ, SOURCE DE MALHEUR POUR SON PEUPLE. LA JUSTICE DES BLANCS VA S'OCCUPER DE CE COYOTE ; QUANT À NOUS, DIRECTION " LA GÉNÉRALE " !

MON INSTINCT ME DIT QUE NOUS ALLONS Y TROUVER PROVINCE.

29 B

31

BIENVENUE DANS LA PLUS GRANDE DISTILLERIE D'AMÉRIQUE DU NORD !

NESTOR ! J'AURAIS DÛ M'EN DOUTER...

EH OUI : NESTOR ! AVEC MES COLLABORATEURS, NOUS DISTILLONS LA NUIT ET NOUS ÉCUMONS LES DILIGENCES LE JOUR. NOUS RESTONS DANS LE LIQUIDE EN SOMME !

UNE BANDE DE PILLARDS ET UN LARBIN À LA SOLDE D'UN BANQUIER FOU ; ON AURA TOUT VU.

HÉ ! HÉ !

ÇA SUFFIT, COW-BOY ! JOHN, TU LES CONDUIS À L'ÉTABLE AVEC L'AUTRE PRISONNIER EN ATTENDANT QUE LE BOSS DÉCIDE DE LEUR SORT. ALLEZ !

OK !

JE SAIS PAS CE QUI SERA LE PIRE POUR TOI, YANKEE : TE FAIRE DESCENDRE OU MANGER DE LA POUTINE PENDANT DES JOURS ET DES SEMAINES ! HA ! HA ! HA ! HA !

JE NE RESTERAI PAS LONGTEMPS COINCÉ ICI !

31-A

C'EST ÇA : EN ATTENDANT, LUKE, TU VAS BIEN SAGEMENT ALLER T'ASSEOIR À CÔTÉ DU BEAU MONSIEUR DE MONTRÉAL.

BANDITS !

@%#!! JE ME SUIS FAIT AVOIR COMME UNE CORNE VERTE !

LUKE ? VOUS ÊTES LE CÉLÈBRE LUCKY LUKE ?!

JE SUIS LOUIS-ADÉLARD SÉNÉCAL, PROMOTEUR DU CHEMIN DE FER DU QUÉBEC. VOUS ÊTES MON ULTIME ESPOIR ; SI VOUS SAVIEZ CE QUE MANIGANCENT MAC HABANN ET SA BANDE...

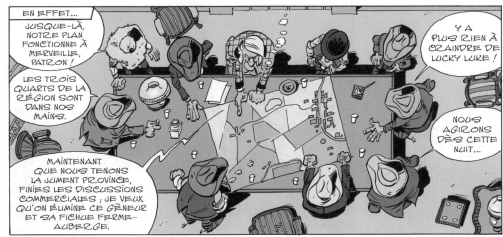

EN EFFET... JUSQUE-LÀ, NOTRE PLAN FONCTIONNE À MERVEILLE, PATRON !

LES TROIS QUARTS DE LA RÉGION SONT DANS NOS MAINS.

MAINTENANT QUE NOUS TENONS LA JUMENT PROVINCE, FINIES LES DISCUSSIONS COMMERCIALES ; JE VEUX QU'ON ÉLIMINE CE GÊNEUR ET SA FICHUE FERME-AUBERGE.

Y A PLUS RIEN À CRAINDRE DE LUCKY LUKE !

NOUS AGIRONS DÈS CETTE NUIT...

AVEC L'ARRIVÉE DES GRANDS FROIDS, NOUS ALLONS RÉCHAUFFER CE BOMBARDIER !

HA ! HA ! HA ! HA ! HA !

31-B

33

AINSI, VOUS ÊTES MANDATÉ PAR LES GOUVERNEMENTS CANADIEN ET AMÉRICAIN ?

OUI, JE DOIS RÉALISER UNE LIGNE DE CHEMIN DE FER ENTRE QUÉBEC ET WASHINGTON !

HÉLAS, EN ARRIVANT ICI, JE NE SOUPÇONNAIS PAS QUE LE MAIRE DE CONTRECŒUR ÉTAIT DE MÈCHE AVEC LA BANDE DE MAC HABANN...

2 700 LIEUES DE VOIES À CRÉER !

ÉVIDEMMENT, TOUS LES PROPRIÉTAIRES DES TERRAINS TRAVERSÉS SERONT INDEMNISÉS.

GRASSEMENT, À CE QUE JE VOIS...

INTÉRESSANT, INTÉRESSANT.

DEPUIS, ILS ME SÉQUESTRENT ICI. CES GREDINS ONT REPRIS LE PROJET À LEUR COMPTE, EN S'APPROPRIANT LES TERRES CONCERNÉES...

ET LE VILLAGE EN PRIME !

NOUS DEVONS SORTIR D'ICI, DIEU SAIT CE QUE CE BANDIT PRÉPARE ENCORE ?!

ILS DOIVENT EN FINIR AVEC LES DERNIERS MALHEUREUX QUI S'OPPOSENT À EUX !

GOSH ! LA FERME DES BOMBARDIER ! ILS SONT PERDUS !

MARIO BOMBARDIER, POUR LA DERNIÈRE FOIS : SORS DE TA FERME !!

CRISS ! ILS VONT INCENDIER NOT'CHEZ NOUS !

MARIE, VA-T'EN CHERCHER LA WINCHESTER ET PLACE LES MATELAS AUX FENÊTRES. ILS VEULENT LA CHICANE, ILS L'AURONT !

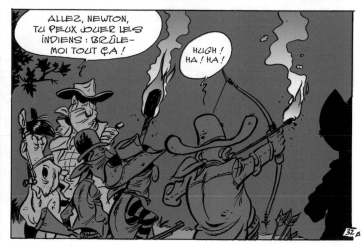

ALLEZ, NEWTON, TU PEUX JOUER LES INDIENS : BRÛLE-MOI TOUT ÇA !

HUGH ! HA ! HA !

34

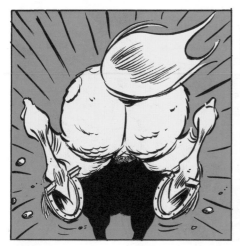

37

VOUS AVIEZ RAISON, SÉNÉCAL, NOUS ARRIVONS APRÈS LA BATAILLE.

LES PAUV'GENS...

MA MAISON, MON ÉCURIE !

BOUHOOUU ! ADIEU MON AUBERGE OÙ L'ON DÉGUSTAIT DE BONS P'TITS PLATS ET SURTOUT PAS DE POUTINE NI LEURS MAUDITS HAMBOURGEOIS, BOUHOOUU !

CALME-TOI, MARIE, JE REPRENDRAI MON COMMERCE DE PEAUX...

¡¡¡¡¡¡¡¡HH!

?

?

PROVINCE !

LUCKY LUKE !

MA PROVINCE.

PAR MIRACLE, NOUS SOMMES VIVANTS. CETTE BANDE DE HORS-LA-LOI A TOUT BRISÉ : NOUS SOMMES DÉFINITIVEMENT RUINÉS.

COURAGE, MARIO. JUSTICE VOUS SERA RENDUE ; J'AI ENFIN LES PREUVES POUR FAIRE COFFRER MAC HABANN QUI EST DERRIÈRE TOUT ÇA.

SAPRISTI ! IL A MÊME SIGNÉ SON FORFAIT...

VOYEZ !

ICI PROCHAINEMENT MAC HABANN Restauration Rapide !

CETTE FOIS-CI, CETTE CANAILLE EST ALLÉE TROP LOIN !

CERTAIN ! IL DOIT SE SENTIR INVULNÉRABLE.

C'EST CE QU'ON VA VOIR ! MONSIEUR ET MADAME BOMBARDIER, ALLEZ VOUS RÉFUGIER CHEZ VOTRE VOISIN PENDANT QUE NOUS REJOIGNONS CONTRECŒUR POUR ALERTER LA POPULATION AINSI QUE LA POLICE MONTÉE.

RESTEZ SUR VOS GARDES, MONSIEUR LUKE.

MOI AUSSI, J'AI UN COMPTE À RÉGLER AVEC MAC HABANN !

ET QUELQUES HEURES PLUS TARD...

DANS CE PETIT COIN DE FRANCE, C'EST BIEN ICI LE SEUL ENDROIT OÙ L'ON PEUT TROUVER TOUTE LA POPULATION !

S SALON S Le Caribou "CAFÉ QU'ON SERT"

Y COMPRIS CET IMBÉCILE DE CHIEN !

INCROYABLE ! CET IDIOT A SU RETROUVER TOUT SEUL LE CHEMIN DE LA CIVILISATION !

MON PAUVRE RANTANPLAN, LA VIE SAUVAGE DU QUÉBEC NE TE RÉUSSIT PAS.

INUTILE DE CRIER COMME ÇA ; CE N'EST PAS MA FAUTE SI LES CASTORS SONT JALOUX !

37

LUKE, PENDANT QUE VOUS ALERTEZ LES HABITANTS, JE COURS TÉLÉGRAPHIER À MONTRÉAL : NOUS AURONS BESOIN DE RENFORTS POUR ARRÊTER TOUTE LA BANDE.

ENCORE CE MAUDIT YANKEE !

PAN !

?

?!

ÉCOUTEZ-MOI TOUS !

GRMBL ! ENCORE À NOUS DÉRANGER DANS NOS ROUTINES !

J'AI LA PREUVE QUE LE BANQUIER MAC HABANN N'EST PAS L'HOMME QUE VOUS CROYEZ. C'EST LE CHEF DE LA BANDE QUI ÉCUME VOTRE RÉGION. IL A PROVOQUÉ LA FAILLITE DE VOS COMMERCES ET DE VOS FERMES.

HEIN ?

J'M'EN DOUTAIS QU'ON SE FAISAIT ENFIROUAPER(1) !

LE FILOU !

CALICE ! ÇA VA PAS SE PASSER DE MÊME(2) !

FAITES CHAUFFER LE SIROP D'ÉRABLE ET LES PLUMES !

BEN VOYONS DONC ! ET DIRE QU'AU-CUN HOMME DE LOI EST DANS LA PLACE ! (3)

(1) (2) ET (3), EN QUÉBÉCOIS DANS LE TEXTE !

39

ET LE CHARME QUÉBÉCOIS, C'EST AUSSI LA NEIGE ET LE FROID...

... BEAUCOUP DE NEIGE ET BEAUCOUP DE FROID !

RANTANPLAN, DAMNÉ NIGAUD ! TU NE POUVAIS PAS TE METTRE À L'ABRI ?!

MONSIEUR LUKE, PRENEZ CETTE COUVERTURE ET CETTE PELURE EN POILS DE CASTOR. AVEC CETTE FROIDURE, VOUS NE TIENDREZ PAS LONGTEMPS !

NON, PAS DU CASTOR !

MERCI, L'AUBERGISTE.

VOUS VERREZ, DANS UNE COUPLE DE MINUTES, VOTRE CHIEN SERA CHAUD.

CHIEN CHAUD... ROULÉ DANS SA COUVERTURE COMME UNE SAUCISSE...

CHIEN CHAUD ! C'T'UNE MAUDITE BONNE IDÉE !

PAF!

C'EST AINSI QUE RANTANPLAN FUT, BIEN MALGRÉ LUI, L'INSPIRATEUR...

... DU FAMEUX HOT DOG !

MAIS REVENONS À NOTRE HISTOIRE...

... ET LÀ, PRÈS DE LA GARE, UN RESTAURANT RAPIDE AVEC SERVICE À CHEVAL. AVEC ÇA, ON POURRA SE VANTER D'AVOIR CIVILISÉ CE PAYS DE SAUVAGES !

DOMMAGE QU'IL N'Y AIT PAS DE PÉTROLE, HA ! HA !

PATRON, TOUT EST FICHU ! LA MONTÉE NOUS EST TOMBÉE DESSUS, TOUT LE PAYS EST AU COURANT DE VOS PROJETS, LUCKY LUKE S'EST ÉVADÉ, IL ARRIVE ET EN PLUS IL NEIGE !

ÇA FAIT UN PEU BEAUCOUP ÇA, BOSS !

PRÉPARE LES CHEVAUX PUIS MONTE À L'ÉTAGE AVEC UNE CARABINE, HISTOIRE DE SALUER NOTRE AMI AVANT DE QUITTER LE PAYS.

ALLONS, ALLONS, PAS DE VIOLENCE INUTILE, MESSIEURS !

QUELQUES DOLLARS SUFFIRONT À SOUDOYER CE JUSTICIER RIDICULE, QUANT À LA POLICE MONTÉE, UNE PETITE ENVELOPPE BIEN GARNIE AU MINISTRE CONCERNÉ...

VOUS NE M'AVEZ PAS TRÈS BIEN COMPRIS, MAC HABANN.

ÇA SUFFIT, NESTOR, JE VOUS ACHÈTE CE REVOLVER 1 000 DOL...

MALGRÉ LA RUDESSE DU CLIMAT, JE TROUVE QU'IL FAIT UN PEU TROP CHAUD POUR MOI, DANS CE PAYS. JE VOUS LAISSE À VOS COLLECTIONS, PAUVRE FOU...

GARDEZ VOS BRELOQUES, JE VOUS DÉBARRASSE DES VIEUX PAPIERS.

ÇA SENT LE TRAQUENARD À DIX MILES À LA RONDE.

MON INSTINCT EST D'ACCORD, COW-BOY.

JE DESCENDS ICI, OLD BOY. TOI, COUVRE L'ARRIÈRE DE LA MAISON.

AVEC UN BLOC DE GLACE SUR LA CROUPE, ÇA VA ÊTRE FACILE, TIENS !

D'ICI, IMPOSSIBLE DE LE RATER !

ADIEU, LUKE !

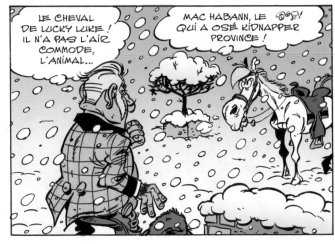

43

(1) REMINGTON, 1863

TARIIITARA.!!
TARIiii...
TATAAA!

ENFIN, LA POLICE MONTÉE ! AUSSI PONCTUELLE QUE NOTRE BONNE CAVALERIE !

TRÈS DRÔLE !

POUR UNE FOIS, CET AHURI AURA SERVI À QUELQUE CHOSE...

UN JOLI PÉNITENCIER T'ATTEND AU TEXAS, BRAD. QUANT À VOUS, MAC HABANN, JE FAIS CONFIANCE À LA JUSTICE CANADIENNE.

TERRASSÉ PAR UN CHEVAL ! JE LE CROIS PAS !

MISTER LUCKY LUKE, " I PRESUME ", CAPITAINE LIVINGSTONE, DE LA POLICE MONTÉE ROYALE DE SA GRACIEUSE MAJESTÉ. GRÂCE À MONSIEUR SÉNÉCAL, NOUS AVONS PU VOUS LOCALISER ; NOUS ARRIVONS À TEMPS, IL ME SEMBLE.

DISONS, JUSTE À TEMPS POUR PRENDRE LIVRAISON DE CES TROIS BANDITS.

PARFAIT ! GRÂCE AUX TRIBUS INDIENNES DE LA RÉGION, NOUS AVONS ARRÊTÉ LE RESTE DE LA BANDE DE MAC HABANN.

EUX VOLEURS, FOURBES ET MENTEURS COMME SERPENTS.

UGH !

43A

DEAN LE CHACAL AVOIR VENDU EAU DE FEU FRELATÉE À MES GUERRIERS. APRÈS AVOIR BU, EUX AVOIR MAL SOUS LE SCALP ET FEU DANS LA BOÎTE À PEMMICAN, MAIS SURTOUT, EUX VOIR TOUJOURS LE MAUDIT ORIGNAL ROSE AVEC TROMPE JUSQUE DANS TIPI !

HA ! PARDON, GRAND CHEF ! MON WHISKY EST LA MEILLEURE EAU DE FEU DE CE CÔTÉ-CI DE LA FRONTIÈRE. RIEN QUE DU BON : DE L'EAU DE SOURCE, DE L'AVOINE À CHEVAUX ET DE LA POUDRE À FUSIL POUR CORSER LE GOÛT.

PEUH !

ALORS, LES VISAGES PÂLES DES DEUX CÔTÉS DE LA FRONTIÈRE AVOIR GOÛT DE COYOTE À FOIE JAUNE !

BLUB !

MON FRÈRE ROUGE A PERDU QUELQUES BOUTEILLES D'EAU DE FEU FRELATÉE, MAIS IL NE PERDRA PAS SES TERRES DE CHASSE. RETOURNE EN PAIX AUPRÈS DE TON PEUPLE. LA JUSTICE DES BLANCS VA LES PUNIR POUR LEURS CRIMES, TU AS MA PAROLE.

TSS ! TSS ! TSS !

?

HIPS !

MON FRÈRE CHEYENNE PETIT ROQUET M'A PARLÉ DE TOI, LUKE : TA LANGUE EST DROITE, J'AI CONFIANCE. DÉSORMAIS, NOUS SERONS PLUS VIGILANTS DANS NOTRE COMMERCE AVEC L'HOMME BLANC.

TU ES UN SAGE, CHEF " GLOUTON ". ADIEU !

FORTE DE CETTE LEÇON, TOUTE LA TRIBU FIT L'ACQUISITION DE TIPIS EN PUR COTON AMIDONNÉ CONTRE UN SEUL DE SES MUSTANGS...

GRÂCE À CE CHEVAL, BERNARD HENRY LEVYSTRAUSS PUT REJOINDRE L'USINE FAMILIALE DE PANTALONS À SAN FRANCISCO...

ET HOP !

EN BLEU DE GÈNES, PAS EN BLANC !

ET SANS AMIDON ! #%6 !!!

LOUIS-ADÉLARD SÉNÉCAL RÉALISA SON GRAND PROJET ET DÉVELOPPA LE CHEMIN DE FER DANS TOUTE LA RÉGION...

MISS CÉLINE CONNUT UN SUCCÈS MONDIAL MÉRITÉ ; SA DISPARITION EN 1912 RESTE UNE ÉNIGME...

ICEBERG DROIT DEVANT !

UN QUOI ?!

TITANIC

LE CALME S'INSTALLA DANS LE VILLAGE DE CONTRECŒUR ET LA PROSPÉRITÉ FUT AU RENDEZ-VOUS...

NOUVEAU !

OUVERTURE

RANTANPLAN RETROUVA SON ÉTAT NORMAL...

C'EST LA PREMIÈRE FOIS QUE JE VOIS DE LA NEIGE AU SUD DU TEXAS.

DEAN MAC HABANN PERPÉTUA LA TRADITION DU SIROP D'ÉRABLE ET DES PLUMES AVANT D'ALLER PURGER 263 ANNÉES DE PÉNITENCIER DANS LE YUKON !

ON LUI A BEN SUCRÉ L'BEC !

UNE VRAIE CRÊPE.

J'REVIENDRAI À MONTRÉAL...

ADIEU, BEAU BLOND.

DÉSOLÉ, BOMBARDIER, MAIS LES PLAINES DE L'OUEST ME MANQUENT TROP ; JE VOUS ENVERRAI LA PRIME POUR BRAD CARPETT DÈS QUE SON TRANSFERT PAR TRAIN SERA EFFECTUÉ.

AVEC CET ARGENT, NOUS RECONSTRUIRONS NOTRE FERME ET JE COMPTE BIEN VOUS Y RECEVOIR, LUKE.

NOUS VOUS DEVONS TANT...

VOUS NE ME DEVEZ RIEN ; J'AI PU APPRÉCIER VOTRE TÉNACITÉ ET VOTRE COURAGE. VOUS ÊTES UN PEUPLE FIER DE SES RACINES, ATTACHÉ À SON INDÉPENDANCE : VOUS AVEZ L'ÉTOFFE D'UNE NATION.

AH ÇA ! NOUS L'AIMONS, NOTRE MAUDITE LIBERTÉ !

ALORS, VIVE LE QUÉBEC LIBRE ! (1)

♪ CHUIS UN PAUV'BOUVIER SOLITAIRE, LOIN DE SON FOYER SI CHER... (2) ♪

FIN

(1) CETTE PHRASE FUT ATTRIBUÉE PLUS TARD À UN GÉNÉRAL FRANÇAIS.

(2) VIEILLE CHANSON NORMANDE...

Louis-Adélard Sénécal (1829-1887)

À ma Squaw adorée, Valérie,
et à mes deux papooses, Mel et Charlie...
Achdé

À mon père, qui m'a fait découvrir Lucky Luke.
À Lynda et Jessie, qui sont en train de le découvrir.
Laurent Gerra

Avec l'aimable collaboration
de la Délégation Générale du Québec à Paris.

© LUCKY COMICS 2007
PREMIÈRE ÉDITION EN 2004
LETTRAGE : SÉGOLÈNE FERTÉ
DÉPÔT LÉGAL DÉCEMBRE 2007
ISBN 978-2-884-71135-7
TOUS DROITS DE TRADUCTION,
DE REPRODUCTION ET D'ADAPTATION
STRICTEMENT RÉSERVÉS POUR TOUS PAYS.
IMPRIMÉ EN FRANCE
PAR PPO-GRAPHIC, 91120 PALAISEAU